武林理安寺志卷之五

禪宗

寺以伏虎開山遥遥相距歷六百餘年法雨大師復著化虎之靈異開堂領衆有默相之者矣嗣後巾拂相承宗風愈懋因緣遭際屢勤

萬乘之咨詢普受人天之供養非徒攻苦食淡完山僧野衲之本分而已性海周流慈光朗照支條繁衍幾徧天下心心相印均以斯寺一袈裟地爲歸宿之地其淵源不可忘也志禪宗

開山始祖唐伏虎志逢禪師

志逢禪師餘杭人也生惡葷血膚體香潔幼歲出家於臨安東山朗瞻院依年受具通貫三學了達性相嘗夢陞須彌山覩三佛列坐初釋迦次彌勒皆禮其足惟不識第三尊但仰視而已時釋尊謂之曰此是補彌勒處師子月佛師方作禮覺後因閱大藏經乃符所夢天福中遊方抵天台雲居參國師賓主緣契頓發玄祕一日入普賢殿中宴坐倏有一神人跪膝前師問汝其誰乎曰護戒神也師曰吾患有宿愆未殄汝知之乎曰師有何罪唯一小過耳師曰何也曰凡折鉢水亦施主物師每傾棄非所宜也言訖而隱

師自此洗鉢水盡飲之積久因致脾疾十載方愈吳越國王嚮師道風召賜紫署普覺禪師命住臨安功臣院上堂曰諸上座捨一知識而叅一知識盡學善財南游之式樣且問上座秖如善財禮辭文殊擬登妙峰謁德雲比丘及到彼所何以德雲卻於別峰相見夫敎意祖意同一方便終無別理彼若明得此亦昭然諸上座即今簇著老僧是相見是不相見此處是妙峰是別峰脫或從此省去可謂不孤負老僧亦常見德雲比丘未嘗刹那相捨離還信得及麼僧問叢林舉唱曲爲今時如何是功臣的的意師曰見麼曰恁麼則大衆咸欣也師曰將謂師子兒問佛佛授手祖祖傳心未審和尚傳箇甚麼師曰汝承當得麼曰學人承當不得還別有人承當得否師曰大衆笑汝問如何是如來藏師曰恰問著問如何是諸佛機師曰道是得麼上堂良久曰大衆看看便下座歸方丈開寶初忠懿王創普門精舍三請住持再揚宗要即普門第一世師上堂曰古德爲法行腳實不憚勤勞如雪峰三到投子九上洞山盤桓往返尚求箇入路不得看汝近世叅學人纔跨門來便要老僧接引指示說禪且汝欲造玄極之道豈同等閑況此事悟

亦有時躁求焉得汝等要知悟時麽如今各且下去堂中靜坐直待仰家峰點頭老僧卽爲汝說時有僧出曰仰家峰點頭也請師說師曰大衆且道此僧會老僧語不會老僧語僧禮拜師曰今日偶然失鑒有人問僧無爲無事人爲甚麽却有金鎖難僧無對師代云秖爲無爲無事僧問敎道中文殊忽起佛見法見被佛威神攝向二鐵圍山意旨如何師曰甚麽處是二鐵圍山僧無語師曰還會麽如今還有人起佛法之見吾與烹茶兩甌且道賞伊罰伊同敎意不同敎意問如何是普門家風師曰幾人覷不足曰如何

是普門境汝到處且問家風了休開寶四年師固辭國主稱年老願依林泉頤養時大將凌超於五雲山新創華嚴奉師爲終老之所每攜大扇乞錢買肉飼虎虎每迎之載以還山雍熙二年乙酉十一月忽示疾二十五日命侍僧辦香水盥沐跏趺而坐良久告寂壽七十七臘五十八謚號普覺大師塔曰寶峰常照建於五雲本院以五登會元及武林梵志修

按五雲山有石壁上書三轉五雲人身不失八大字乃師親筆臯亭山亦有師塔

重開山祖明法雨仲光禪師

師諱如嵩更名仲光號佛石別號法雨老人錢塘戴氏子父邦賢母陳氏夢僧以伽棃覆體於隆慶己巳十一月十六日卯時生師襁褓悲聞腥羶甫四齡即投禮靜明禪師十四剃染十八受戒蓮池大師十九歷遊講肆席天台敎觀及聞雪浪師弘揚賢首宗相依最久一日讀圓覺至以思惟心測度如來大圓覺海如以螢火燒須彌山乃歎曰尋名取義皆思惟心也遂掩關竟千日自尋究竟疑終未破會易菴師提唱少林宗就座累月復歎云古人臨機覿面語若只恁麼疏通與講何異仍別去依雪浪至甲午謁紫柏

大師於金陵靜海寺柏問云喫飯也未師云未柏呼取糕餅至師以一餅進柏柏接餅曰得恁伶俐復問汝在金陵作何事師云聽雪浪講柏云講甚麼經師云楞嚴柏云經中說當處發生隨處滅盡幻妄稱相其性眞爲妙覺明體如何是妙覺明體師云生滅盡處是妙覺明體柏痛呵斥師惘然少頃從容進問云畢竟如何是妙覺明體柏乃震聲一喝師便禮拜自後始知宗門下事非學解所到來日具威儀歸依因爲更名仲光實授記法也已復笑曰山僧二十年前口吧吧地二十年後一字也說不出失口歌云一泓

淸可沁詩脾冷煖年來只自知卽其自知者可以知師矣晚歲厭客避居峰頂搆一菴開一壙曰吾生可遊死可葬四十餘年受用過分住得一日是一日因顏其菴曰且住瞰江俯谿蘿懸徑絕雖弟子輩亦罕接見營壙畢忽示微疾就寢席者月餘惟以天氣方暑若有所待適秋至謂弟子曰今日晴爽逼人吾欲遠去弟子不喻謂師方病欲何往耶師曰汝將謂吾病耶從容扶杖起出寢室盥沐趺坐集衆囑付後事惟誡勿妄求勿多事安分守已遵佛遺訓仍戒勿戴孝勿舉哀勿久停龕勿盛設祭供旋命分邀諸檀囑

以禁客攜觴巖淨伽藍時惟蔡居士在法相山房應聲而至師一見撫掌笑曰有居士證明吾道存矣餘不及待也弟子戒慧請留遺偈師走筆書曰一句彌陀五十年分明掘地討靑天而今好箇眞消息夜半鐘聲到客船書訖顧視左右擲筆而逝時崇禎九年七月十日也壽六十有八臘五十有四師嘗曰死當知我至是始信遵遺命以一七入塔道俗遠赴銘曰流俗阿師說法自任可說非法開口作恁師嘗說法如雷震空一字不著三日耳聾衆生不聞謂不說法說者自圓聞者自瞎得眞消息守鐝頭邊夜半鐘聲

載歸滿船（吏部考功司郎中 奉化戴澳撰塔銘）
按師自記云金陵歸卽深入十八澗一傘一笠蒲團
夜安沙鐺晝餉坐松下旁爲深坑野篠豐叢卽虎穴
也猙獰欲怒未免戒心余隨語云此地當仍復梵刹
汝速往他山如不欲讓夜當大吼三聲余卽去矣是
夜竟不聞聲遲明已他徙卽編茆而處一棲八載上
雨旁風不禁卑溼時仲期居士覓余蹤跡不得由兩
峰至澗中竟於荒烟衰草間見索衣頭陀居然余也
歎羨者久之隨同伯霖貞甫兩公邀吳寶二方伯來
游馮具區先生輒訂蓮社藍輿頻至無異虎溪

開法始祖傳臨濟正宗第三十一代箬庵問禪師
師諱通問號箬菴姓俞氏本松陵人世居荆溪父安
期字羨長博學著書名重當代晚年無子就佛寺建
無遮大會百日應禱而生幼失怙弱冠偶過僧舍閱
首楞嚴經至此身及心外泊虛空山河大地咸是妙
明眞心中物因疑不自釋聞天隱師翁居磬山乃往
謁翁門庭孤峻終日不措一言因投誠懇示翁示以
本來面目話未能死心叅究已復叩翁適翁立澗邊
與客論及金剛經師曰金剛經洵妙不應住色生心
不應住聲香味觸法生心應無所住而生其心翁驀

顧師曰如何是其心師爽然自失遂矢志叅決年二十四將就婚夜夢神人力振之起寤而驚悔潛去武林投南澗理安寺佛石大師落髮痛惜光陰決計叅方擬上博山不果遂往金粟叅密雲和尚懷香請益曰某甲久看未生前面目話不得入處乞和尚慈悲指示密曰你但看到未生前便是入處師方作禮密與驀頭一踏師歸堂一夜不睡遲明復入方丈曰昨蒙慈悲一夜不睡密囑聲曰正好睡在師擬進問又被打出得此一番淬礪時中孤危絶倚乃復上磬山翁喜命叅堂住半月坐夜聞風聲豁然有省作偈曰

千玄萬妙隔重重箇裏無私總不容一種沒絃琴上曲寒崖吹落五更風呈翁翁徵曰玄妙卽不問如何是不隔底句師擬對翁便打師到此去不得偶因衆頌百丈併卻咽喉唇吻話師亦頌曰併卻咽喉唇吻三人口闊一尺夜半露柱相逢橫吹無孔鐵笛呈翁翁曰露柱還有口麼師曰熾然長說翁曰道得一半師曰和尚又如何翁曰此問復何來師直下如團火相似次日入室舉似翁翁曰不得燒卻眉毛師便喝翁曰燒卻了也師曰看者老漢一場敗闕便出從此機用自在差別因緣一一透露後復於室中請益洞

明宗要崇禎癸酉翁度夏法濟以偈囑師有他年起我臨濟宗殺活縱橫開天目之句翁後每激師荷負大擔三度委任報恩院事師皆力辭乙亥九月翁示寂師治後事訖走東明爲山茨和尚慰留縛茅山後榜曰死心事翁遺景期畢心喪不失古人廬塔之意丙子秋南磵佛石大師遷化衆心注師洊請繼席一住十年家風嚴冷條令森然同居衲子戒抑狂見唯尚實行眞叅稍忤鞭斥不稍假借居亡何院宇日整檀越湯母法榮道人恭迎龍藏供螺月樓中梵筴莊嚴遂擅南山最勝一日檀越營齋寘囊金於客寮求

之勿得師曰是山僧蔑德所致集衆詣伽藍祠深自檢責隨有虎踞三門哮吼徹三日一客僧懷金上方丈悔謝師密遣去虎乃遯伏師之在磵也雖容衆叅請而一關常楗志尚隱晦慨念禪宗近季統系失銓欲定續燈錄慮有掛漏適華亭有施別駕笠澤居士者內外典籍襲藏甚富聞斯舉驩然來謁延師至其家因留半載得徧搜歷祖遺編手爲裒集師謂此書之成施之功不可泯也甲申師至餘航人龍嶺迎運登天目兩峰禮諸祖塔窮歷奇勝尋還武林而兵燹横起騷動江干鄰比村閭悉遭焚掠一日振旅上山

俄大雷雨及門而反師唯杜緣掩室面壁山頭而已
京口晦夫和尚與師同門重開夾山法席丙戌冬以
訃聞遺命駐龕客堂虛席迎師師於是移錫焉踰年
欲反潮金山若公法師知師將引退合衆耆德奉郡
縣疏棄機勸請往金山之龍遊寺師應之戊子春正
月入院先一夕山頂塔放大寶光睹者歎異住後宗
風漸被大江南北叅徒鱗集數逾萬指山有韓蘄王
祠春秋祀典例用羊豕就寺烹割是春師弘毘尼法
率兼戒弟子千人嚴淨壇址適縣役至預期辦事師
曰此山如是戒壇詎容同日宰割乎乃詣祠告祝授

以淨戒明日太守委丹徒廣文黃公主祀到山卽謁
師師述上意請以麵代牲黃難之忽衆役趨白頃者
載牲渡江將發舟而牲忽脫縛奔逸追躡不得黃大
駭異始欣從師請當事遂奉爲常祀焉有三車老衲
者由燕都來以巨艦載沁金大士南上補陀抵爪渚
像忽沉江車募衆力百計挽之得出旣登岸夜夢神
人告曰金山有大禪師演法就彼供養胡遠涉邪車
覺而奇之擬上山以非初心未果時甘露海門諸山
僉來禮請車卜像前重與夢協於是舁送至山江渡
稱險風作輒覆舟師愍之設救生船篙師活人者計

功疇之遇重霧冥晦卽鳴板山椒俾長年睿所趨向
且免奔匿觸石之虞本山遵行迄今弗怠是歲中元
建水陸法會利諸沉溺會荊溪衆檀護以磬山祖席
久虛懇師主之師領衆往灑掃祖室躬親香火冬夏
與衆衲安居二時叅請無忝先規後因事去武林乃
棲遲南澗庚寅春復循衆人之請住西河古漏澤寺
葢自申酉之變禾遭兵燹尤甚漏澤居郡東偏殿宇
俱燼唯鐵佛一軀巍然露立於瓦礫中兵退居民亡
歸者環而眎之見血淚從佛眼出羣心惻然競爲傳
播有三學禪德盟諸同志圖復卽先成鐵佛殿以次

莊嚴佛身而淚迹弗滅布漆飾金終不可掩則慨然
曰吾輩鮮德必欲興起其唯善知識乎遂舉海內說
法荷衆道臘並尊者數人卜之得師於時諸山耆宿
暨宰輔金公閭郡紳士同力堅挽師不得已赴之旣
至畚剔荒穢營搆堂廡半載拮据鬱成叢席師嘗統
衆出隊多獲錢米卽以賑饑乏之所歷屠肆家募百錢
爲贖生命嘉秀兩邑宰感師道化每樂從遊士大夫
問法者時盈籌室師隨機善誘不倦接納淮鎭恭順
侯吳公欽師道望馳書敦請願師爲降錫說法師一
過淮甸就向署升座復延居文通院問道請法執禮

甚恭淮去河較近師擬溯河而上不果決意深入磬谷高臥雲堂永謝世緣醻酢之事甲午持走南澗自卜片地於理安左營建窣堵苟完卽還磬室乙未夏忽顧謂策曰老僧殆不久於世矣今此祖席未可輕委吾同法唯報恩玉和尚吾將詣金車託院事且吾不欲委息於此唯應隨寓而逝汝等可卽日於當處燒卻囊貯吾骨送塔中便了切勿効諸方隨例作佛事也策聞語悚栗逡巡而退越翼日解衆理武林之櫂路遇風林月渚輒屢日泊舟乃作旅泊偈二章自稱旅泊老人秋抵南澗九月到報恩值師翁諱日掃

塔後與報恩和尚深敘別悰譚笑徹夜且重以磬山祖庭勉託并涉潯溪別金少師次公跂宋謝其兩世護法之誼凡湖山道舊一一告辭委順之日舟泊吳江應天寺午刻手勒豈翁少師書猶諄諄以弘護爲囑飯食如平時晡時微示腹疾薙髮澡身尋命更衣語左右曰吾行矣遂右脅吉祥而化旅次倉皇亟令傳訃時跂公始悟師訣別語駭歎無已隨至申供力荷後事十月諸弟子迎龕歸南澗越明年丙申普門成道日依法闍維緇白會送者千餘人奉遺骼入師所營之壽藏中師生明萬歷甲辰五月二十日亥時

寂於清順治乙未九月二十七日酉時閱世五十有二坐二十七夏所說諸會語錄十二卷又磬室後錄一卷外著續燈錄若干卷並行於世嗣法弟子自曉菴昱而下有若古眉山無海學千仞岡汝風杲梅谷悅子山如貫菴徹一菴月禾峰顯別峰秀天章玉天笠珍密傳能斯瑞法鐵舟海用中睿明明燈隱明綸濟水洸大禪永隱谷仰雲峰授赤水蠙乳石泓雪眉鑑紹隆祖皆親歷法會受師記莂或披衣得座導利人天或一缽孤騫目視雲漢至若古石藏六吉謙以及于小子策則又依師得度而親承法乳者也師凡

五坐道場去留信緣脫然無滯叢林咸高其風性峻急遇物率眞體極羸弱齋粥不過半盂然神意卓哉燕居無惰容見者不威而慴至據坐當軒雖迅機雄辯號稱一時俊衲者不自知其氣之讋縮矣然師未嘗以高邁奇偉慢畧細故即瓦埏木植羹蔬茗藥之間必盡其慮力葢務爲衆所觀式也門人行策撰行狀

傳臨濟正宗第三十二代第二次住持曉菴昱禪師

康熙乙丑夏四月瀏陽黃曇曉菴昱和尚於示寂前三日預製末後佛事至廿有九日寅刻坐脫遺命停龕三日即火浴窆靈骨於妙高峰之壽藏其徒德菴

心璽足四千里來杭報赴復乞銘師諱行昱號曉菴別字無隱處州龍游葉氏子寄跡於吳三歲失怙母程氏訓養成立自幼純孝見殺生閉目馳去年總角持報母齋一日閱六祖壇經知有祖師門下事遂叅密老和尚於金粟及冠母逼就婚遯入磬山叅師翁求剃度以母在不允時卯工夫師翁開示諄切適親屬追尋忍淚別去遠走天台至蓮華峰禮擊心老宿芟染鄮圓具於天童聞先師出世南澗投誠叅謁每入室先師痛棒熱喝不假辭色工夫殊覺純一一日被同叅激發至夜分胡跪佛前立五大誓願一大事

不明不出山二大事不明不說話三大事不明不添衣四大事不明不放身臥五大事不明不看書自夏祖秋力行不倦一夕月下獨坐忽然內外洞徹身心器界總是一箇冰盤向所疑處當下打徹遂省母出山母又逼還俗潛渡長江叅石奇和尚於昭陽未幾以母老復返吳門持鉢奉養時值荒歉寒暑無間母終安厝事畢復上南澗研究今古差別得大自在尋付衣拂首衆無何先師遷竹林命分座說法萬指鏗鏘師威德自在一衆披靡徹服嗣後先師屢以南澗院事囑託師苦辭不已已丑夏將集衆命攝方丈事

師即打包宵遁涉桐廬訪陳尊宿遺蹟過疎山謁矮
師叔影堂匍匐半載始抵瀏陽訪爾瞻禪師於石霜
旋應武功山靈溪之請遂開法焉甲午夏值先師大
慶師領衆東還復命秉拂代座至秋繼席南澗師入
院之始提綱挈要條令森嚴即宿學飽叅輒不敢攖
其鋒於是先師喜動顏色作書致金少保云南澗丈
室命曉菴首座主之其人侍衲二十年悟境不異高
峰斷崖而德業深厚僅嫌才力鈍耳然在今時喜鈍
不喜利也閱明年秋季先師告寂吳江師扶龕還澗
經營塔事負土舁石皆躬親爲之手胼足胝終歲而

窣堵告成適蟲作祟拂衣復入瀏陽山中結茅作投
老計江楚衲子聞風趨附不踰年而復成叢席一住
廿載影不出山惟不忘所自命梓先師手輯續燈送
板入藏每歲必專使熏塔以祖庭爲念今春遣心姪
來南澗師尚強飯無恙至初夏奄忽坐化世壽七十
有九僧臘五十師著述頗多有三會錄黄檗拈頌若
干卷皆余編次盛行於世（天笠珍禪師撰塔銘）

傳臨濟正宗第三十二代第三次住持梅谷悅禪師

師諱行悅字梅谷號呆翁別號蒲衣尊者吳郡婁東
曹氏子生於明庚申年八月初四日午時十八歲披

剃普陀海岸禪林受具後聞宗門向上事卽擔簦行脚詣崆峒山參瑞白老和尚二十一歲參天童密老和尚師問掣電之機還許湊泊也無童云你問甚麼師卽拂袖云鷂子過新羅童連棒趁出師當時會得賓主句二十二歲再參報恩老和尙二十七歲到夾山參先南澗老和尙問隔江招手便乃橫趨上座還具者箇眼麼師云不入虎穴焉得虎子澗卓拄杖云能有幾人知師云果然作家澗便喝師禮拜次年春隨澗過金山卽當衆付囑師以茂年居靜廬嶽數載日無餘事乃箇古公案數十百則皆爲頌之丁酉赴

南澗請繼席乙巳之粤東衆請住龍樹院丁未請住蔣山天華辛亥秋復入粤會當事諸護法請住大隱禪院癸丑至南安府衆請住西華山龍光寺已未師在東臯舍桴菴赴江甯府蔣山金陵寺請壬戌擬之臺山先入京師憩錫城西佑聖西齋甲子秋客城東彌勒菴忽於臘月朔夜索水沐浴浴畢又命焚香侍者云夜半焚香做甚麼師云我要禮佛衆失笑師云話也不識遂端坐辭衆囑謝諸山和尙及諸護法并垂示誡諭等語衆皆涕泣哀求後事師分付留龕三日後荼毘不必請知識封龕舉火并入塔語衆再求

和尚慈悲說箇末後句乃說偈曰使符多謝遠相迎撩起袈裟請共行一曲浩歌歸去樂從來老將不談兵偈畢端然而逝停龕三日荼毘得舍利若干靈骨片片作金玉聲緇素瞻仰歎爲希有塔建南澗之北蓮花峰壽六十有六臘四十有八嗣臨濟第三十二世磬山嫡孫南澗眞子七坐道塲五會說法每一語施一機有照有用爲學者解黏去縛拔楔抽釘於是叅學之士四方雲集嗣法門人十位剃度弟子數十餘人所著正宗語錄若干卷列祖提綱錄若干卷增集禪宗雜毒海若干卷歷代帝王宏教錄若干卷三

會語錄若干卷夢冰東臯拈莊放鉢北遊諸集數本一一梓行於世 弟子超慧撰行狀

傳臨濟正宗第三十二代第四次住持濟水洸禪師

師諱行洸字濟水上虞縣西華顧氏子箬菴法嗣生於明萬歷乙未示寂於康熙乙亥宗教兼通在儕中最爲傑出住理安三年著有正法錄等書

傳臨濟正宗第三十二代第五次住持天笠珍禪師

師姓陳氏諱行珍江南上海人天笠其法號也父仲雍母金氏少穎悟因貿易遇盜投師水中爲漁舟所救遂發出世想禮無海學公薙染時年十八叅箬菴

和尚於杭之南澗開示父母未生前話長跪請益箬菴拊掌者三師纔起作禮箬菴卽喝出師罔措疑不去心年二十圓具瑞光侍古南和尚掃塔天童因阻兵不能歸澗寄單顯聖坐不語禪念大事未明憤鬱致疾一夕氣絕堂衆諷經津送有僧衲師胸曰速往西方去師忽甦驀喝曰者是什麽所在聞者驚悚病愈腰包還澗箬菴隨命侍香夾山於趙州勘臺山婆子話下頓徹古今公案源底呈偈機緣載在語錄箬菴印以偈云吹毛不犯當頭令出窟金猊果俊哉又稱於衆曰珍雖年少悟處確實法門令器師聞之痛

自鞭策箬菴命掌書記始垂記莂復徵詰高峰六問師一一著語箬菴解頤自題肖像授之已而結茅畫眉泉奔箬菴之喪塔院事竣住靜蘄州大潛戊戌冬出世菩提寺越三載遷德章丁未夏應洸禪師之請繼南澗祖席宏覺禪師於法派中爲諸父行每以古德應菴相擬而念湖州之道場爲六十六代祖庭宜興之龍池爲天童磬山兩宗之所自出郵書勸駕皆以爲非師不克勝任師既至開爐領衆徹夜禪堂策礪勇猛宗風爲之丕振善權龍池密邇甲寅之難樂安禪師塔燬於火師從灰燼中負靈骨歸迄難定復

原缺

拂囑別宋文森居士廿六日至謝村遺命南澗一席方西堂首衆侍龍入塔後公請任持示無私也更衣跏趺而逝是日法雨泉巖石崩裂寺前竹林忽然枯瘁緇素無不稱異生平凡九坐道場說法十二會開堂三十七年隨機接引辨才無礙自奉一衲補綴終身至若南澗則殿宇寮舍煥然一新而卒歸寂於其間木本水源之義也尤不喜跬步闤闠而賢士大夫無不景師風範輪蹄接跡未能殫述嗣法門人冶堂照大潛震鐵眉元上元敏柏林俊瑯琊眞雪帆舷來山欽萬壽因東禪裕毘盧月菩提玥南山曙石佛曜

三莫榮集雲孝雨青溥鶴林學越鑑徹南澗方御輪文麗空道遠涵著嵩印傳界弘量淨土城應山恒牧純訓護國亮居士宋文森凡三十八世壽七十一僧臘五十三乃爲銘曰弱齡慕道出塵之姿遇盜不死盜即導師天馬脫銜翻然出世派衍龍池箬菴是繼宗風向上撒手懸崖奪人奪境有實有權九坐道場說法瓶瀉一觸其機有口如啞弄大旗鼓再來應[illegible]滹沱正脉惟師荷擔

鑾輅南巡來山晉接庭柏奏對

天顏大悅法門龍象誰續傳燈貞珉永勒荒言是徵

祥符令遂安毛

際可撰塔銘

按師前後四住理安道風孤邁衲子非謀道眞切痛念生死者不敢登其門故至今諸方稱理安爲生死理安法子三十八南北稱大宗師者强半是其子孫

寂後門人夢菴格禪師撰行狀

傳臨濟正宗第三十二代第六次住持斯瑞法禪師

師雲間上洋瞿氏子箬菴法嗣有語錄行世

傳臨濟正宗第三十二代第七次住持汝風杲禪師

師吳門張氏子依蒼雪法師受業叅箬菴問禪師於夾山問舉風穴見南院因緣命頌乃頌曰師資合處

芥投鍼嶽未爲高海未深看取作家爐韛在能消躍冶不祥金問曰此則機緣三十年來罕有契其旨者今日始愜老僧意遂承記莂繼席南澗三載退居潤州靜室康熙戊午正月三日往鶴林與天樹植公訣別植曰新年頭何得說末後話師曰實非戲言朽骨火後所颺大江無違我願由是相別至廿四日鄰菴火起師整衣而坐侍者曰火猛已徧和尚宜速出師曰吾時節至矣侍者曰和尚如是某甲敢離左右遂同證火光三昧門人依命葬骨大江之龍門有傳并語錄十卷行世

傳臨濟正宗第三十二代第八次住持子山如禪師

師吳門眞豐里人幼喪母因街坊演劇見目連救母事出家得法於箬菴禪師住南澗三年

傳臨濟正宗第三十二代第九次住持六吉謙禪師

師蕭山人箬菴法嗣住理安三年鉗錘妙密學者奔赴如雲圓寂後塔建八覺峰上

傳臨濟正宗第三十三代第十次住持獨超方禪師

世宗憲皇帝在藩邸時御撰塔銘并篆額書丹

康熙四十一年余分府城東與柏林寺邇時獨超禪師主柏林談法甚契不二年苦辭南歸余弗能留也逾六年庚

寅之嘉平月八日示寂其弟子繭足來請塔銘余不能辭乃序之師諱超方字獨超常州武進人沈姓母徐氏幼喜趺坐耽佛乘年二十從大蓮克閑芟染圓具華山見月後入資福參靈機憤志大事胸次了然猶以未盡閫奧繼往徑山坐枯木禪三年時天笠和尚在鎮江竹林以書招笠有大名愼許可一見如合水乳便得大機用受付囑是爲臨濟三十三世云出世住金壇之東禪武林之南澗臨安之東天目山陰之寶壽師高額深目虎視鶴行平居寡言笑鉗錘惡辣不以辭色假人諸方老宿見者聞者無不悚慄歷數大刹四方衲子雲蒸輻輳示寂之日遠近緇素涕

淚悲泣如喪考妣非道高德厚孰能如此其語錄余所序也世壽六十八僧臘四十八弟子若干人明年辛卯余遣官擇吉日建塔奉寺銘曰禪語之學上乘大雄及其弊也著有譚空師獨不然中流之屹向上提持叱祖呵佛甯甘朴樕不耀文華一切世諦劃泥滌沙別去六年方圓繼見遠焉厭世破泡走電寶壽之山山水雙佳以藏靈骨歷刦靡涯

傳臨濟正宗第三十三代第十一次住持鐵眉元禪師

師天笠法嗣

傳臨濟正宗第三十三代第十二次住持睦菴孝禪師

師天笠法嗣塔先建寺後本宗長幼與湯護法等議遷寺右平地夢菴語錄中有遷塔語

傳臨濟正宗第三十三代第十三次住持夢菴格禪師

和碩莊親王撰塔銘

夢菴禪師名超格號夢菴世爲江南蕪湖人姓丁氏父應鶴母陳夢菴生九歲能吟咏稍長攻帖括有聲庠序間非其志也性好內典喜趺坐幼嘗謁梅生和尚聞萬法歸一話有省欲出家以父母在不果至二十八歲始投金陵清涼寺劍門和尚落髮稟寶華山見月師具足戒歷叅諸方老宿偶登廬山五老峰豁

然悟徹有踏破虛空作兩邊之語時天笠禪師主禹門往叅次便問破夏遠來請師一接笠云未入門時喫棒了也遂作禮云謝師指示笠打云知恩者少夢菴遂一喝拂袖便出笠門風孤峻學者憚之夢菴橫機不讓一衆側目甫三月遂受囑笠示有微笑爭看第一枝之偈笠後住南澗夾山東禪夢菴皆充第一座四方來叅者服夢菴機用之敏咸親依之推之開化歷住嘉善之東禪暨慈雲武林之南澗及清波最後主京都之柏林咸能以道示人所化殊廣戊子春感微疾然叅請酬應如常時唯危坐雖中夜猶屹然

不起六月二日忽索浴更常衣衆知不可留因求偈夢菴瞪目叱之請不已乃曰南來北往也尋常竿木隨身作戲塲今日風前舒一笑滿輪明月湛清光說畢遂瞑目夢菴生崇德己卯五月七日示寂康熙戊子六月二日閱世壽七十僧臘四十有二嗣法弟子迦陵音

勅贈圓通妙智大覺禪師調梅鼎千蔭林漚和截六三圓燦然椗希芳玉印潭望皆空照居士納信等十人夢菴應世唯本色接人稱性說法眼目高揀辨精當有五會錄寶倫集行於諸方莫不推重未示寂前以諸信

然悟徹有蹈城虛空作兩邊之語時天從禪師主通門往叅次便問破夏遠來請師一接從云未入門時喫棒了也遂作禮云謝師指示從打云知恩者少夢菴遂一喝拂袖便出從門風孤峻學者憚之夢菴識機不讓一衆側目甫三月遂受囑從示有微笑爭看第一枝之偈從後住南澗來山東禪夢菴皆充第一座四方來叅者服夢菴機用之敏咸親依之推開化歷住嘉善之東禪寶慈雲近林之南澗及清波最後主京都之柏林咸能以道示人所化殊廣戊子春感微疾然叅請酬應如常時唯危坐雖中夜猶吃然

不起六月二日忽索浴更衣衆知不可留因求偈夢菴證目況之請不已乃曰南來北往也尋常啐木隨身作戲偈今日風前舒一笑滿輪明月湛清光說畢遂瞑目夢菴生崇德己卯五月七日示寂康熙戊子六月二日閱世壽七十僧臘四十有二嗣法弟子遊陵音然桂希芳王印源嵩照居士納信等十人夢菴應世唯本色接人稱性說法眼目高揀辨精當有五會錄寶倫集行於諸方莫不推重未示寂前以語信

施所遺衣飾行李動用什物盡散之大衆寸絲不留
以體來去皆空之義調梅鼎奉其師遺殖歸江南立
塔吳之靈巖左麓石林寺前科茶莊雍正九年辛亥
距示寂二十有四年矣塔石猶闕然未銘調梅鼎奉
特
旨住柏林之三年以行狀來乞銘余於禪理本未深悉安能
爲銘堅請不已強爲銘曰夢云何來夢云何去人咏
蕉鹿得失匪意蘧蘧栩栩與之同趣自號夢菴已極
其致夢之覺之欲求何義唯爾禪師北來南去南澗
清波柏林苗裔機用之捷被於嗣人光前裕後罔不
有聞於彼吳山是營是作夢葬之墖卓然恒覺

傳臨濟正宗第三十三代第十四次住持臨澗月禪師
師天笠法嗣夢菴語錄有起龕語云受法三十年住
院五十日

傳臨濟正宗第三十三代第十五次住持越鑑徹禪師
師諱超徹號越鑑天笠法嗣紹興東浦全氏子父茂
至母王氏少時祈夢于忠肅公廟承示得道和尚四
字感是出家十九歲禮杭州妙智菴虛融師薙髮二
十三歲詣金陵華山從定菴和尚受戒叅天笠禪師
於鎮江之金山記莂後受夢菴和尚請住持理安四

十八年杭城大饑入城化緣示寂於萬安橋側年五十歲聞者莫不感泣生死理安之名由師益著訃至京師時迦陵音禪師住柏林方丈哭奠甚哀

世宗在藩邸詢知理安清苦發帑重建寺宇來造寺者僧名越宗置田者僧名成鑑與師名適合若前定焉五十一年功畢奏聞

聖祖御書理安寺額師有語錄二卷行世（佛日義禪師撰行述）

傳臨濟正宗第三十三代第十六次住持翰如學禪師

師天笠法嗣

傳臨濟正宗第三十三代第十七次住持遠涵著禪師

師天笠法嗣

傳臨濟正宗第三十四代第十八次住持迦陵音禪師

師諱性音號迦陵別號吹餘系瀋陽望族父李母許夢大日輪墮懷而生師康熙十年九月二十日也面如滿月童時就塾初受章句於性命之說即能詰問及長不樂世緣長懷出塵之念限於父兄至二十四歲決志投高陽毘盧眞一和尚求薙髮尋受具戒一示本來面目話令參默有省辭一南遊其時濟洞下尊宿法席相望師皆參叩機不契至杭之理安謁夢菴老人命掌記室每有垂問橫機不讓遂授衣拂陞

西堂未久辭菴出山道經六安州愛雪峰山水之勝
頗有終志康熙丁亥春菴受京都柏林請寓書招師
入京修覲舉師立僧先是菴領衆數十年所至不立
首座衆或強之菴云我至七十歲方補此職至是乃
符其言分座臨衆勘驗接引眞切簡要一衆服師鉗
椎戊子夏菴示寂諸山耆舊堅請繼席不允遯之西
山緇素復以大千佛寺敦逼出世據座提唱廣衆翹
仰爲法爲人勦知刋見于是方來英俊奔趍恐後座
下滿至三千餘指禪風爲之大振一言半句流布諸
方咸歎希有前後六載得益如林焉乃鑴錫補處柏

林之席三年而杭之理安虛席以待復應三年遂委
之祖燈和尙欲避酬應之繁事山水之適江右方伯
兆麟許公以廬山歸宗請爲棲息之地忻然應之未
逾年而有京都大覺寺之命雍正元年春謝院事飄
然南下一瓢一笠山棲水宿居無定止四方徵書交
至槪卻之雍正四年秋復還歸宗之吹餘靜室九月
廿二日示微疾候安者皆作悲感狀因舉踈山造塔
公案遂展拈頌內有此處埋老僧不得羊腸鳥道自
庚辛之語此雖最後垂範而實預示遷塔京都西山
之大覺也越七日二十九日酉時泊然而逝世壽五

勑贈圓通妙智大覺禪師建塔於京西天壽山師悟證眞實十有六僧臘三十有三　禮親王特爲奏聞知見高卓應機說法超情離見非悟弗易湊泊至於勘驗悟門徵詰見地眼明手親深心大力不特晩近所罕覯者故領衆二十年坐九道場叅徒浩歸依止者弗忍去生平不喜爲酬應筆墨惟筆削禪書裨益後學有十會語錄二十卷語要指要各一卷外集宗鑑法林七十二卷是名正句八卷宗統一絲十二卷雜毒海八卷皆刊刻行世受囑者九人門人實綍撰行實

傳臨濟正宗第三十四代第十九次住持祖燈紹禪師

師曉菴法孫

傳臨濟正宗第三十四代第二十次住持調梅鼎禪師

師諱明鼎字調梅別號粟菴晩年自號恬退翁楚之黃梅人姓馮氏父林章母李氏幼不好嬉戲八歲於匯源禮石師薙染二十於萬杉大楚和尚受具後叅金粟碧和尚復叅包山柯和尚走浙之理安叅夢菴格老人後叅普明未幾歸南澗數日與八千三人悉承記莂乃丙戌春也明年春京都柏林專使持請書至師隨入京纔一載夢菴入滅師載櫃南還卜葬於吳之石林廬塔五載壬辰婁江永甯象請主之明年

春入京師集雲堂較刻宗鑑法林錄
憲皇帝在藩時自拈佛祖公案機緣相契畱內久之夏禮臺
回一日登白塔山頂跏趺是日陰霾雲漏日光射殿
頂師擡眸一見身世頓空自此證到信手拈來著著
親處明年甲午春磬山虛席庭辭南邁殫精冰櫱一
住七載庚子春奉
命住理安値歉歲辛苦支撐壬寅
憲皇帝御極密旨進京引見
上諭有小心行道勿彰聲勢之訓啣
命還山感撫軍李馥捐俸重修理安丙午夏回楚省親秋歸

澗丁未春走歸宗設供回山屈指南澗八載冬
特旨進京明年戊申正月初五奉
旨住柏林歷三載奏請交卸
上不允庚戌秋地震衆刹路塞師念四來雲水無歸廣納不
滅
上發帑苫補殿宇九年工竣十年建
皇道場百日於寺是歲臘月十二日
詔入安甯宮徵師行道多年入手處奏對大悅畱內三日
欽差賫錫紫衣陞堂拈香謝恩
賜帑五百金飯僧又

命朔望入內禮佛六年癸丑正月八日
詔諭玄要於安甯宮值師母難
恩賜碧玉如意一握金轉輪藏一座
諭曰天然如意常轉法輪　各親王特詣寺飯僧請法自後
王大臣問道無虛日二月八日奏修笑巖寶祖塔院
及各處大刹
上皆允許至重九退柏林回蘇石林守夢菴老人塔院請
莊親王製夢師塔銘叅政道李秉直爲刻石建碑亭織
造高斌修拜臺暨坊禮塔乙卯八月十九日復降
旨來京董修藏事

上賓天其年冬抵京奏
聞次年丙辰正月八日入館次年戊午藏事畢急欲南旋
莊親王奏補萬壽寺住持辭不獲免乙丑冬月　莊親
欽命掌理僧篆辛未五月因疾　莊親王奏准於十五日
王奏請
退萬壽院　王命旃檀寺靜養至閏五月又增痢泄
王命醫賜參湯啜之至子刻命扶起跏趺告衆說偈
曰海上橫撐沒底船神頭鬼面巳多年而今撥轉娘
生鼻一任諸方取次傳安坐而化師生於康熙十九
年庚申寂於乾隆十六年辛未七月初一日子時壽

七十二僧臘五十四遺命奉全身舟載南還歸磬山造塔師四坐道場說法近四十載必以煆煉禪衲爲務入室考工必深錐痛拶不至徹骨而不已說法不存軌則一味單提向上發明本分四會語錄共一十四卷外有詩偈別錄諸刻付梓流通傳法弟子二十餘人叅學門人實瑄撰行狀

莊親王撰塔院碑銘

調梅禪師名明鼎號調梅楚之黃梅人姓馮父林章母李氏調梅生而岐嶷幼讀書嗜禪味企慕空門父憐而成其志於縣之匯源菴禮石白師落髮年二十秉萬杉大楚和尚受戒深究本分徧叅宗匠旋之理安叅夢菴師師問黃鶴樓公案末及答夢菴劈頭棒曰打破黃鶴樓當下大悟於時客塵觀盡妙氣來宅所謂早淨六根速成四德者耶種種法語載所著前後錄若干卷爰以明心見性受知

當今其通徹宗旨也如此康熙甲午主磬山方丈庚子春欵

主理安閱八載

世宗憲皇帝宣取來京住柏林寺嘗

召見便殿問答皆稱

旨賜紫衣如意轉輪藏等物其遭際隆遇也如此予因識調

梅見其沖然而靜藹然而和恂恂然其宿慧人哉癸丑退柏林而南還守夢菴塔院不忘師承槪可知已迨刊修大藏經奉
命復來京師行走不辭勞勩以故校讎參考調梅之力居多今
皇上御極之三年工告竣予爲奏請卓錫萬壽寺並掌僧錄印務於是調梅齒將六十矣功行益加精銳照心燈於覺岸引慈棹於迷津沾丐嗣法者不少又十年所而調梅已耄矣辛未五月乞予家菴旃檀寺而休焉孰意七月之朔郎爲調梅涅槃之辰世壽七十有

二傳燈錄曰覺性旣圓無法不寂調梅之謂歟噫調梅之來也予識之梅之去也余庇之世外之緣夫如是耶其徒將奉其師於陽羨之磬山營塔以藏則塔院之碑銘予固不待其門弟子之請而自當覼縷其崖略也遂系之以銘曰猗歟馬祖付法大梅郎心是佛厥念弗回爾梅孰調酸鹹且耐但曉瓶鉢甯知鼎鼐臨濟傳宗鏡象胥融五蘊非有四大本空拂衣而去去從何處他日西歸子然隻履磬山之陽曾開道場息陰於此以徜以徉鼪鼯碾石白雲怡懌萬樹梅花累劫不息

傳臨濟正宗第三十五代第二十一次住持雨懷慧禪
師
師諱實慧字雨懷江南鎭江人姓張氏父名白玉生
時異香滿室十五歲禮金山梅燦和尚披剃具足後
行苦參方十數載未明本分雍正元年到廬山歸宗
寺禮迦陵音和尚命參無字話頭打七兩日於夜半
聞擊板聲開悟迦陵爲之稱善命住江甯古鏡菴四
年迦陵圓寂歸宗奉
旨入住圓明園五年九月
欽命年希堯送住杭州理安寺越七載至十一年進京告退

住靜於鳳凰山崇聖院十二年又住徑山三年歸靜
崇聖乾隆十八年九月初四日示寂塔於崇聖院右
傳臨濟正宗第三十五代第二十二次住持法南勝禪
師
師名實勝字法南別號竹菴長沙益陽人也俗姓鄧
父禹田有隱德母劉氏長齋嗜佛十歲入鄉塾善病
送邑之華嚴菴禮悟宗老宿薙染十三歲事學六載
苦無所入十年師祖卽世遂廢學力農四載二十四
詣德山半體和尚受具明年參石塘寺吼天和尚示
萬法歸一話猛力參究越二載走江浙由上湘抵南

嶽忝祝聖曉堂和尚未幾辭行至江西吉安府龍鬚山陶谷和尚座下結冬庚子春解制起單三月抵博山四月抵杭遊淨慈靈隱至理安適退翁老人入院依皈六載充副寺或監院凡勞苦事身任不辭六十一年壬寅隨老人進京北還是冬充維那始受記莂

世宗憲皇帝御極老人遵

旨奉

聖祖御書進京屬理院事乙巳年住石林塔院灑掃三年丁未冬老人奉

詔主柏林隨侍進京充堂主次冬充後堂帶維那遇東安居士王攸久等敢請於瑞徵寺開法時巳酉冬十一月

十八日也庚戌春啟金剛會王尤二居士復修建禪堂法堂大殿方丈佛像鐘鼓靡不具新置齋田結冬傳戒壬子冬　履親王　莊親王俱賜匾額歷癸丑凡三載老人傳

恩旨於正月十九日引

見天機契合命主杭州理安寺師跪辭

上云爾爲人老實道風甚好住三年來請朕安師不敢辭謝

恩出次日傳

旨同文覺禪師南下五月抵杭州當道於廿二日送師入院

是日食堂萬餘指入有方之宋大慧者理安常住素
淡薄可給二千指而是歲雲水甚衆結冬頗順十二
年甲寅正月有虞山普仁寺職事請書至師以奉
命祖庭不敢應己而請益堅並賫常住田産契劵相委不得
已應請兼攝三月六日入院常住荒凉山場爲居人
侵佔爨薪不給因訴道憲劉公諭兩縣追還侵地寺
遂稍整越兩月歸理安會有主理安之席者自京至
杭遂交代退院七月復回普仁十三年乙卯春淮關
年公奏補京口竹林寺
上著來京引見既至都見　莊親王王卽摺奏

上諭著實勝住慧福寺俟
旨七月廿三日
召見命居佛樓禪堂遣問工夫兩次八月廿三日
世宗賓天哀痛罔極
今上御極奉
旨著圓明園僧人回本山師於十一月六日歸普仁卽啟
建報恩道場四十九晝夜用嚴
大行仙馭以申涓埃之志云乾隆元年丙辰春蘇州織造海
公爲補奏
恩詔請主竹林竹林奉

世宗勅修殿宇崔嵬金碧交輝然素少齋田地當衝要雲水
甚衆難以支給賴衆職同心結冬打七傳戒歲歲無
虛七年壬戌春磬山職事賈若水和尚書來云將有
京師之行屬師權攝院事重違其意勉應其進京實
未奉
旨意
恩蒙
上飭查授受原委奉織造圖公察覈至隱摺奏
俞允遂卸竹林事專主磬山丁卯三月省親念切道經廬
山歸宗迦伯像前設供抵楚歸長沙益陽縣痛父母
俱故即趨拜墓前慟哭幾絕因建報恩道場五日叩
華嚴本師相違三十年見面俱不相識惟挽手泣下
而已又爲本姓宗祠延住月餘祖山
命重急登航歸庚午秋患痔痢漸成脾泄越明年壬申春
二月十五日命衆門弟子集丈室即書遺囑命際禪
理方丈事越三日知時已至遂起浴更衣跏趺說偈
日南北支離三十年七花八裂得人嫌今朝自唱還
鄉曲珍重時人莫浪傳遂斂目而逝師生於康熙二
十九年庚午八月十三日寂於乾隆十七年壬申十二
月十七日世壽六十有三僧臘三十有九癸酉冬遵

遺命奉全身塔於本山恬退師翁之塔右師凡五座道場說法垂三十載嗣法二十餘人以師門人際禪行實修

傳臨濟正宗第三十四代第三十三次住持溶菴湛禪師

師諱明湛號溶菴楚人牧純訓禪師法嗣雍正十二年甲寅奉

旨自磬山移住理安凡學者求依止必先徵之曰佛有明誨戒體清淨始可學禪爾於所受之戒曾有犯否見其辭色稍怍卽日去此冷淡門庭非爾棲泊之所知其戒檢無虧念道心切則慰之曰人身難得佛法難逢

入堂好生參究毋虛度日於是望崖退者十嘗八九丙辰秋誤用一監寺將錢塘租米變金逃去師詣伽藍神自責亡何監寺如昏醉狀送金歸寺衆稱異焉乾隆六年辛酉春示微疾謂衆曰無常老病不與人期其各努力向道山僧于世殆不久矣侍僧問生緣世族行道始末師哂之至二月二十三日趺坐丈室翛然而逝塔建蓮華峰上師性孤潔以道自任兩住祖庭未嘗足履城市諸方擬之爲黃牛政云

傳臨濟正宗第三十四代第三十四次住持佛日義禪師

師諱明義字佛日號煦園洪都艾溪陳氏子父歿齡母黃氏性不茹葷父母知其非塵網中物送繩金塔寺普照堂毓明老宿爲徒年十九依翠巖鞭雷和尚受戒承示話頭令叅究閱兩載無所得聞江浙宗風鼎盛買舟南下徧叅知識始抵南澗正越鑑師翁唱道之初命充紀錄一日師翁書牌云蟄戸未開龍無龍句蟄戸已開句歸何處師覽之疑團冰釋便著頌湫倒嶽四字師翁深器之又一日師翁上堂僧問元沙不肯靈雲意旨如何師翁曰君子千里同風師於座下聞之如貧得寶竊謂何此老發明古人用處如

揭日也相依不數月得毓老宿病信乞假歸省師翁乃書南澗源流并衣拂授之曰持此作株大樹蔭覆天下人去師歸未及視藥而毓老宿已入滅矣葬送甫畢師翁示寂之音又至師念正法陵遲典型凋喪不有振起之者後學從何鑽仰宏法之志自是而堅遊五臺抵京師恭遇

世宗憲皇帝培隆祖道　愛月居士訪尋有道者備顧問柏林調伯老人以師名入告留住歲餘出主江右雲居五載調老人移錫萬壽召師進京師至爲座元時修檀柘山志幾成而理安祖山之請至矣師住理安十

載謙守祖規不近聲利唯日與衲子眉毛撕結然師
性嚴潔有黃龍眞淨之風多有望崖而退者乾隆辛
未春
翠華臨幸應對稱
旨賜御書樹最勝幢扁額一方
御書心經塔一幅采帛數種是年秋歲饑衆匱食憂以成
疾問後事師曰理安一席凡是箬祖子孫俱住得老
僧歿後用雪峰故事毋送訃毋干有名位者作傳銘
粉飾老僧敗闕荼毘入塔遵祖規闔請本宗有德者
繼席語畢吉祥而逝師生於康熙二十二年癸亥九

月初五日寂於乾隆十七年壬申八月十七日世壽
七十僧臘五十一嗣法者宗雷震等二十八語錄八
卷外集八卷并行世塔於蓮花峰之陽門人越碉撰行畧

傳臨濟正宗第三十五代第二十五次住持正宗道禪
師

師諱實道字正宗別號無隱湖南岳州望族生於康
熙庚申年五月初五日也父母未詳姓氏年七歲往
雙溪求薙染至十八歲決志參方見雪鑑和尚乃秉
受具戒令參萬法歸一話來春辭座與淸月和尚爲
友徧叩濟洞尊宿後於佛日度夏讀孟子至我善養

吾浩然之氣有省聞理安迦老人道風藉甚特往叅
禮遂相隨左右十有一載每往請益卽痛掌打出乃
辭老人回楚寇阻不果適老人生席歸宗復往親覲
命掌記室以臨濟家舍途中公案詰之至冬月打七
不覺疑情頓發遂被老人一香板下豁然開悟懷香
入室卽命陞西堂位爲衆秉拂授以大法　莊親王
嚮師道範乃以京都大千佛寺敦逼出世復奏請住
西山大覺及京南興善瑞徵等處自是四方衲子爭
趨座下宗風爲之大振江西廬山之歸宗不遠千里
請師主席末後　莊親王復奏請住杭之理安於癸

酉十月二十日子時示微疾端然坐逝門人乃建塔
於寺旁蓮花峰世壽六十有三僧臘四十有五師一
生眞叅實悟不樂世緣終日端坐一室少有笑容每
看驗學者必深錐痛拶不輕許可人

傳臨濟正宗第三十五代第一十六次住持智朗月禪
師

師諱寶月字智朗漁陸其號也白門李氏子父令聞
公母朱氏方其娠也母惡葷羶在襁褓時聞梵唄則
忻然年十九欲裂世網母不能奪其志遂投江甯觀
音菴慧開老宿脫白越三載受具足戒於六安州大

悲院曇瑞和尚明年遊方叅天目晦日磬山若水諸
大老後依靈峯素蓮法師習天台賢首諸大經論久
而厭其枝蔓乃飛錫至理安見佛日師翁翁以從上
諸訛公案徵詰投機許之入室至丙寅師翁授之偈
曰十八襉邊一句子於今吩咐在江南放行切莫隨
時價七九何如六十三復囑云稱宗師者須具自他
眼方可爲人若單明自已不明他人與學者酬酢終
不能揀魔辨異子宜勉之師唯唯是歲之夏遁跡于
臨江辨利院有鏟彩埋光之志竹村茅居士請住定
香古刹師卻之再三不得已受其請進院後百廢具
擧座下常繞二千指時香積乏粒出則分衛四衢歸

則宣揚三藏師亦畧無倦色癸酉歲奉
聖旨住理安提綱挈紀大振石磬之音四方叅叩殆無虛
日激揚本分外兼講阿含方等般若華嚴法華唯識
諸經論座下所依者皆一時英俊癸未冬有正凡師
入堂打七至第四日放叅後行香寸餘遂立而化去
丙戌冬爲新戒講四分律時有黃雀數百集簷芽窗
隙中若聽講狀講畢飛去如是者數日皆謂師所感
云乾隆丁丑及乙酉歲
聖駕三次幸寺奏對稱旨

啺食併識安心竟額種種等物非師夙有碩德不能當
聖人之眷若是之隆乎師平生一衲之外無餘衣或製新
衣獻者輒與人幼時未嘗習世間文字至晚年得無
師智貫通諸子百家所以武林諸縉紳皆樂與之遊
將示寂前寺外竹林忽枯痒法雨泉涸衆中有識者
竊知哲人欲逝未幾師果告衆說偈偈曰金網王寶
劍一斷一切斷山雲與水漏誰斷誰至斷午後沐浴
更衣集衆念佛半趺而逝師生於康熙辛卯九月十
六卒於乾隆三十六年八月初十日世壽六十有一
僧臘四十二塔全身於蓮花峯之陽有語錄四卷及

禪宗祕要南礀吟草示衆偈等行世 門人際恒撰行畧

附舊紀

無塵禪師

師諱明證會稽魏氏子性醇厚簡默望之如愚少不
樂茹腥羶常欲出家弱冠過隣寺遇五臺龐眉老僧
見若舊識便願皈依僧云汝三年後始可薙髮當先
苦行學諸經典師遂往叢林作重務嘗學楞嚴咒日
讀隻字偶悞摩作磨經三日改正自旦至暮僅守一
言夜禮觀音徹曉不寐三年咒既畢大喜生魔忽狂
嘯登樹謂往西方墮地幾悶絕良久方甦扶至榻臥

原缺

原缺

原缺

病七日遍身痛若換骨病愈宛如隔生動靜語言頓殊平昔及期五臺僧復至爲師祝髮受具戒囑師終身誦法華經師素不識字展經朗誦無滯已而華嚴涅槃諸經悉得成誦乃謂老僧曰吾欲盡形乞食供養報師是夜此僧不知所往咸謂菩薩示現也後師日誦法華一部途中嘗負小冊或樹下或道旁便趺誦不輟口日惟二飡更不雜食三衣經鉢之外一無所畜人有施隨得隨捨每諷人出家云度得一僧亦勝雕一羅漢甚而不擇賢愚人或譏訕師曰賢者應度代佛揚化愚者應度輪迴免墮度弟子凡廿餘輩

遐邇散居師或暫往入門禮佛儼如客僧不致一言誦經巍坐過三數日拂衣便去弟子若留之師曰生疎些好人問法止微笑如是不雜語不雜食脇不至蓆且三十年一日誦經翛然不懌弟子問曰我持誦一生願求淨土豈將墮落洪福邪更加勤誦三年一日撫案大笑曰我今不到洪福去矣往謁雲棲還至澗中謂孫曰汝往報衆徒我明日當去次日諸徒至師問甚麼時荅云亭午遂命湯浴端坐念佛誦觀音勢至清淨大郎閉口竝聞空中朗誦海衆菩薩異香馥馥合掌而逝如入禪定七日後閉龕時値炎暑

中儀容若生雲棲大師素語平日解行欣然率衆爲師舉火師質肥偉纔舉火烟飛薪燼觀者異之師遺言鍊骨成灰散之江水弟子如命世壽五十時萬歷癸巳年也

靜明尊者

師諸姓越人少孤貧無所依爲人質直寡言語過錢塘傭工交吾居士戴翁翁重之事如親兄每歲工値俱藏翁櫝翁爲封固積十五年一日謂師曰汝物足以婚配成家業矣師不答通夕不臥謂人曰戴翁勸吾入世何益吾志欲出家但不遇明師耳一日無塵

禪師至便欣然自慶曰是吾師矣瓣香歸禮命名眞定無塵師示以一切捐捨苦行念佛求生淨土師慕華嚴法華諸經不能展誦無塵師云不能口誦當以身誦精勤禮拜能所性空卽身心誦經也師受旨盡空所有造像齋僧同吾翁施義漿於孔道冬煮薑夏煮茗以給往來躬自斧薪汲水二十餘年一日謂翁曰吾意欲入山矣翁喜以祖塋片地與之結茆師一心禮念晝夜不輟暇時伐薪易米供諸靜室時雲棲始創値大雪師自負米往返約百餘里旦去暮回不霑粒水蓮師歎曰大菩薩來送供衆中恐難消受師

云富貴贈百斛某一粥之需何以言此蓮師云苦行
得米衡雪擔來勝富貴百斛多矣師開山種蔬不問
僧俗悉施與之一日以瓠送隣家隣人尤詈其老不
中食師笑曰我實不應採遲以致瓠老來日選最嫩
者送之有盜師樹者見師引避不得盜者慌迫墜樹
損足師急撫慰之并所伐樹負至其家買藥調治有
竊笑者師曰在路傷跌亦當援救况在我林中其人
感歎不已萬歷戊子大飢疫民死載道師痛如骨肉
柰貧不能濟過師門者甯不食以推之師嘗拾金五
兩餘坐守十日俟遺金者旣不至師更益已金爲之

誦經施食以祐失金者并薦一切飢饉疫死凡生平
所畜盡作功德又絕無絲毫求福之心隱德密行人
所罕知弟子作禮必荅拜不分親疎悉屬平等身無
完布伏臘一衣不用綿不著襪弟子慮其寒師曰吾
晝寒掘地夜寒拜經唯苦汗出甯畏冷邪師年七十
二忽有微恙延入澗中有客送夾襪不肯受苦勸乃
披之云可見人喜穿綿比衲衣之暖不同病愈問衆
曰今日何日荅曰十二月初四師云初五日午時我
將去衆云今將入山供養何去之速師曰我非戀舊
居問云何處去師云我向畢竟要去處去問云如何

病好反要去師云正是病不著的要去緘口跏趺竝無分付弟子是晚率徒衆然燈環侍師歎云又費常住一盞油也至夜半喚人扶起面西端坐問何時云子刻師曰子刻即初五日我去矣衆徒問曰既言午時何不如期而去師云我龕與柴俱在江干轉回三四十里天寒雨雪往返不及未得入龕恐累汝等少頃高聲念佛佛聲漸微而化師積薪三載遺命荼毘經十日火滅齒牙頂骨手足指節悉皆不壞色如璉璖蓋因頂禮華嚴法華所致也塔于本寺山頂尊者乃法雨大師受業師今考其塔與大師塔同一金井

錄賢

普勤

普勤柳姓魯人初傭工楊梅嶺下余縛茆時來投余素願開山事師竭力余一人常缺食勢不畱彼勤曰師無食我向山家力作取值供師余念其誠納之勤大喜帶雨種松揮鋤負石客至每欣然減飧供客時雨雪絕糧自飲菜湯余憫其苦勤曰我咬菜飽矣師無慮仍開掘如故間有小過必炷香跪懺一夜值盜至余適坐別室盜不知處執勤拷掠痛楚不言以至血流常好種菓本人譏其老何苦作迂望勤曰吾豈

要自吃種以供後人耳精勤六年甘苦分受後住靜
明菴伐薪失火菴燬因自懺遠遯蹤跡杳然距十二
年忽來叩門老病聾鍾衆俱不認余謂必栁道也相
別一紀如子得母勤泣曰某年老不堪願乞終此地
將吾骸骨埋之寺左世世守松永護泉石以了平生
願翼日病作復求開示合掌而去荆溪蔣鹿長有守
松道人傳吳伯霖亦有傳

普田

普田婺州人姓朱氏爲生死祝髮出家初不識一字
勤行力作不近床蓆者三年一日誦金剛般若經隨

誦隨解向余曰某于此事不疑矣余震威揪住云汝
何所見速道速道田乃攤手吐舌余亦頷之而已後
游清涼不知所終

周普年

普年吳江人與妻普齊居湖濱初不信佛爲人梗急
無隱人多怨之移秀水適乘監寺乞食醉李相遇欣
然似有夙契因助募得米四石寄年處夜爲盜竊去
年私償之後得米凡有粞碎糠穀悉易好米减口供
僧一日謂乘曰吾年老身沒募者不供遂請疏化田
爲久計辛勤十載得田四十餘畝忽爲有力所吞年

以衆檀信施一朝錯昧因果憂憤致疾其妻普齊無
病而逝相謂曰我先去汝當卽來不久年亦逝西向
念佛坐脫自由

武林理安寺志卷之五終

